THE EAR OF ETERNITY

L'ORELLA DE L'ETERNITAT

Before shouting at injustices, speak with your emotions... these, you will find the injustices...

Xavier Panadès i Blas

23/09/2019

THE EAR OF ETERNITY
L'ORELLA DE L'ETERNITAT

Poems in Catalan by
Xavier Panadès i Blas

Translated by Xavier Panadès i Blas
and James Thomas

This bilingual edition first published by
Francis Boutle Publishers
272 Alexandra Park Road
London N22 7BG
Tel 020 8889 8087
Email: info@francisboutle.co.uk
www.francisboutle.co.uk

ISBN 978 1 9164906 7 3

Amb la col·laboració de l'Ajuntament de Palau-solità i Plegamans
With the collaboration of the Palau-solità i Plegamans Council

Contents

Si us plau, llegeix els poemes d'aquest llibre com si ploressis les llàgrimes de l'oceà conscient!

Please, read the poems in this volume as if you were crying tears from the conscious ocean!

INTRODUCCIÓ

Paraula eterna, ressò de l'altre, lliura la lluna, panedesenca, sense malícia ni trencadissa, llàgrima dolça, llàgrima clara. Si tendresa, sensibilitat i bellesa són la consciència del gran tot, és company aquell que tot ho sosté, que tot ho estima i que tot ho espera. Anhel de llibertat, masculinitat, no hi fa res si el sòlid en suspensió o el principi de contradicció suren en perfecte estat de somnolència. Impacient, irònica, cretina i bèstia, la rauxa indigna a qui no entén la consideració. Diletant, esfèric, llunàtic, el bufó distreu la indefinició de la ira en egocèntrica fragilitat. Mitges síl·labes, mixtures, trencaclosques, vocals ploraneres mastegant domini propi. Rossegant pa. Els principis són per a l'home a mode de superació. Ara que tot no està dit, ho dius clar, toques voraviu fosc del bon germà. Imaginant lluentor i apressant furor a remolc dels que no som. Caràcter, memòria, aventura oriental, color de nina, clarinet i vida. Salva encara la poesia. Impuls vital. Amor i escatologia. De l'ésser simulant desmais en el temps de l'aparença. Arrel i sal, enterra el mal, pedra rogenca, pols i alzina. Crida i canta, canta i crida, estrella del mar. Cabell lliure al vent i camina.

Xavier d'Edimburg, Lliçà d'Amunt, algun dia el 2017.

INTRODUCTION

Eternal word, echo of the other, moon freedom, panadesian, without malice or ruckus, sweet tear, clear tear. If tenderness, sensitivity and beauty are the consciousness of oneness – the 'Big Everything' – a companion is one who sustains, loves, anticipates it all. Longing for freedom, masculinity, will do nothing if the solid-in-suspension or the principle of contradiction float in a perfect state of somnolence. Impatient, ironic, idiotic, ignorant, rage – *rauxa* – makes indignant those who don't understand consideration. Dilettante, spherical, lunatic, the jester entertains the indefinition of fury in egocentric fragility. Half syllables, mixtures, jigsaws, whiny vowels digesting their own knowledge. Chewing bread. Principles for man are a means of self-improvement. Since everything is not said, you can say it clearly, you touch the dark selvage of the good brother. Imagining sparks and onrushing fury on tow from those we are not. Character, memory, eastern adventure, colour of doll, clarinet and life. Yet save the poetry. Vital impulse. Love and eschatology. From the Being simulating faints in the age of appearances. Root and salt, bury the malice, reddish stone, dust and cork oak. Call and sing, sing and scream, sea star. Hair to the wind and walk on.

Xavier of Edinburgh, Lliçà d'Amunt, sometime in 2017.

DEIXEU-ME ESCOLLIR QUI SÓC

Hi ha tempesta, hi ha trons,
i ens cega tant l'ombra,
que ens matem amb
cogombres.

Ens odiem tant internament,
que ni el millor vident
podria descobrir el secret
d'aquesta mala llet.

Són masses centenaris a recordar.
Són multituds d'enfrontaments,
i humiliacions a netejar.
Són molts patiments i abusos
que ens han embrutat.

No som purs,
però ens hem de deslligar
de les al·lucinacions
que ens fan classificar
ésser humans com massapans.

Jo ploro, jo ploro, jo ploro,
perquè ja no escolto ni la
llibertat.

De sobte corren rius de sang,
i ni així ens enfrontem a la
covardia eternal.
Ni als enemics, ni a l'inquisidor,
que ens enlluerna eternament
amb la seva llanterna.

Realment som presoners del
nostre nihilisme reprimit.
Som esclaus de les nostres pors.

LET ME CHOOSE WHO I AM

There is thunder, there are storms,
so blinded are we by shadows,
we're killing ourselves with
cucumbers.

So internal is our self-hatred,
not even the master seer
could disclose the secret
of this sour bile.

Too many centenaries to mark.
Oceans of conflicts
and humblings to cleanse.
There are sufferings and abuses
that have sullied us.

We're far from pure,
yet must loosen the ties
to our hallucinations
that have qualified us
human beings like marzipans.

I cry, I cry, I cry,
as yet I hear no call of
liberty.

From nowhere come rivers of blood,
even then do we confront
our eternal cowardice?
Or our enemies, the inquisitor
blinding us into eternity
with his lantern.

In truth, we're prisoners
of our bottled up nihilism.
Slaves to our fears.

No creiem en la raó sinó per
petar cors.

Uns amb enveja, em dieu que
no sóc prou català perquè dic
"á" enlloc d" à".

Altres amb molt rancor,
m'obliguen a ser espanyol,
perquè ho posa al passaport.

Quin dret teniu a jutjar-me,
sense preguntar-me?
No sóc cap esclau ni objecte,
ni algú que camina recte.

Sóc un ésser humà nascut als
Països Catalans,
que ha corregut el món endavant;
i que sense haver de comparar,
té el dret a dir que se sent
Català.

Believers in reason only
to break hearts.

Some enviously tell me
I'm not Catalan enough –
for saying 'á' instead of 'à.'

Others bitterly oblige
me to be Spanish –
it says so on my passport.

Who gives you the right to judge,
without consulting me?
I'm no slave, nor object,
nor someone holding the straight line.

I'm a human being born in the
Catalan Lands,
who travelled fast, far and wide;
who, casting aside comparisons,
has the right to say he feels
Catalan.

CONTRAATAQUEM

Aquesta terra sense pau ni llibertat,
plena de genis però sense unitat.

Alguns la venen per un plat de llenties,
dures, amargues i sense vitamines.

Netegem la terra d'aquests dimonis,
que fan emprenyar a rucs, gats i rats penats.

Contraataquem!
Contraataquem!
Contraataquem!

Obrim els ulls que mai vàrem tancar,
plorem les mentides, i caguem les hipocresies.

I recordem que la mala consciència
ens duu a la decadència.

Contraataquem!
Contraataquem!
Contraataquem!

LET'S COUNTER-ATTACK

This land without trace of peace or liberty,
full of fine spirit but short on unity.

Some would sell it for a bowl of lentils,
hard, bitter, lacking in vitamins.

Let's wipe the earth of these demons,
who get the goat of donkeys, cats and bats.

Counter-attack!
Counter-attack!
Counter-attack!

Let's open our eyes that were never closed,
mourn all the lies, and crap the hypocrisies.

Remember that bad faith
leads us into decadence.

Counter-attack!
Counter-attack!
Counter-attack!

PER QUÈ NO LI DIUS?

No em facis més mal, marxa i oblida.
No escoltis el cor a l'aire lliure.
Refusa els trons i les alegries.
Agafa la maleta, marxa i oblida.

Per què no li dius, quan t'estimes?
Per què no li dius, quan escrius?
Per què no li dius, quan t'empipes?
Per què no li dius, quan ho descrius?

Ruc, agafa la maleta, marxa i viu.
I deixa'ns en pau, que ets tot un babau.
Roman callat, i seràs tolerat.
I carrega el respecte, que mai s'oblida.

Per què no li dius, quan t'estimes?
Per què no li dius, quan escrius?
Per què no li dius, quan t'empipes?
Per què no li dius, quan ho descrius?

WHY WON'T YOU SAY?

Do me no more wrong, be gone and forget.
Pay your heart no further heed outside.
Refuse the storms and the raptures.
Pack your backs, be gone and forget.

Why won't you say when you love yourself?
Why won't you say when you write?
Why won't you say when you boil over?
Why won't you say when you describe it?

Pack your backs, jackass, be gone – and live!
Leave us in peace, you silly fool.
Keep silent and you'll be tolerated:
Show the respect that is never forgotten...

Why won't you say when you love yourself?
Why won't you say when you write?
Why won't you say when you boil over?
Why won't you say when you describe it?

CUCO I KIKA

Aquestes cosetes,
blanquetes i negretes,
estan amagadetes,
a sota el sofà.

Petitetes com ratetes,
amb quatres potetes,
sense panxetes
i amb molta fam.

Cuco i Kika,
no us espanteu,
sortiu a jugar,
que no us cruspirem.

Acabades de néixer,
en un món diferent,
s'amaguen perquè,
no saben què fer.

La més petiteta,
darrere la grandeta,
tremola amb pànic,
perquè no sap on és.

Ara fa una caqueta,
a la catifeta,
tant blanqueta,
que sembla un copròlit.

Cuco i Kika,
no us amagueu,
sortiu a menjar,
i no marxareu.

CUCO AND KIKA

These little sprites,
balls of black and white,
are hiding out of sight
under the sofa.

Like tiny mice,
four small paws,
no tummies to fill,
and, still, very hungry.

Cuco and Kika,
don't be afraid,
come out and play,
we're not going to eat you.

Not long since born
in a different world,
they're hiding because
they haven't a clue.

The smaller one
behind the bigger,
trembles in panic,
where is she now?

Oh! She's left a poop
right on the carpet,
So hard and white,
it's like coprolite.

Cuco and Kika,
don't hide away,
come out and eat,
and you won't run away.

Cuco i Kika,
les meves gatetes,
ara ja grandetes,
que sempre estimaréééééééééééééé!

Dedicades a les meves gatetes, robades de la meva vida...

Cuco and Kika,
my little kittens,
already getting big,
I'll always love youuuuuuuuuuuuuu!

Dedicated to my cats ... who were stolen from my life...

TENEBRES I TERANYINES

Tenebres que continuaven perseguint-me.
Teranyines aturant la raó.
Obscuritats que porten la llum,
i et fan veure qui no ets,
i ho saps, saps, saps!

Ai quin mal aiaiaiaiai!

No escoltis les tendències sota la catifa,
el consumisme agònic sense parar,
i les rentades de cap cròniques,
que et fan comprar, comprar, i comprar.

Ai quin mal aiaiaiaiai!

Recorda que sempre ets nu,
i les mentides i veritats són imposades.
Ara saps qui ets, algú inflat
amb imatges, productes químics i irrealitats tats tats!

Ai quin mal!
aiaiaiaiai... De cap!

SHADOWS AND COBWEBS

Shadows that kept on chasing me down.
Cobwebs blocking my brain.
Obscurities that bear light,
that make you see who you're not...
and you know, you know, you know it!

Ah, the horror, ahahahahah!

Turn a deaf ear to trends under the carpet,
never-ending bleeding consumerism,
and the dregs of all these chronicles
they make you buy to buy to buy!

Ah, the horror, ahahahahah!

Remember you're always a naked page,
lies and truths imposed upon you.
Now you know, you're someone pumped
with images, chemical products and ill ill illusions!

Ah, the horror
ahahahahah!... in my head!

QUI SÓN ELS ÀNGELS?

Una vegada hi havia una noia
a un poblet,
dins una presó quadribarrada
sense mandra ni fred.

Buscant la llibertat
ningú s'hi rebel·lava.
Ben al contrari,
només rebia ganyotes i rialles.

Un dia li van créixer ales
i va volar alt i lluny.
Va observar que els humans
eren perduts en presons,
en estat mentals
que duen a la hipocresia.

Quan torna a casa
l'esperaven unes tisorasses,
per tallar-li del tot la llibertat
i la salut mental.

La noia espantada va córrer,
córrer i córrer.
Va volar tan alt tant que va
arribar a la lluna,
que més que vestida de dol
era una falla d'àngels.

I va entendre llavors,
que els humans
són àngels sense imaginació,
i tant amor familiar
espanta i crea temor.

WHO ARE THE ANGELS?

Once there was a girl
in a hamlet,
in a four-barred cell
neither lazy nor cold.

Searching for freedom
no one rose up with her.
On the contrary,
all she got were grimaces and taunts.

One day she grew wings
and flew so high and far –
she noticed that humans
were left to rot in prisons,
in mental states
leading to hypocrisy.

When she came home
a giant pair of scissors lay waiting –
to fleece her of all freedom
and her mental health.

The petrified girl ran,
ran and ran –
she flew so high, so high
she reached the moon,
which, more than in mourning dress
was a glory of angels.

So then she understood
that humans
are angels with no imagination,
so much simple love
is a scandal sparking fear.

A la lluna no han de patir
per a la seva identitat.
A més a més, poden cridar
la seva reivindicació:
"Menys llibertat i menys caritat."

On the moon, no one need suffer
for their identity.
On the moon, you can hear
their clamorous cry:
"Less freedom and less charity."

LA MALENCOLIA DEL BRESSOL

Espero i desitjo, l'aparició,
observant i patint, el corcó.
Sento i pateixo, la passió,
asseient-me i remant, amb sensacions.

No siguis realista,
i perdis la malenconia
del bressol.

Estudio i posseeixo, l'Assumpció,
collint i aixafant, les nocions.
Desitjo i persegueixo, el destí,
sense consumir cap tipus, de verí.

No siguis realista,
i perdis la malenconia
del bressol.

Assassinen i exterminen, per crear,
manipulant i administrant, sense escoltar.
Riuen i vomiten, amb la perfecció,
per morir en olor de santedat.

No siguis realista,
i perdis la malenconia
del bressol.

THE CRADLE'S MELANCHOLY

I'm waiting, willing, the phantom,
observing, suffering, the bore;
I'm feeling, suffering, the passion,
rowing in repose with sensations.

Don't be a realist
and lose the cradle's
melancholy.

I'm studying, possessing, the Assumption,
harvesting, treading on notions;
I'm craving, hunting down, destiny,
consuming no manner of poison.

Don't be a realist
and lose the cradle's
melancholy.

They assassinate, exterminate, to create,
manipulating in deaf administration;
they laugh and vomit, to perfection,
to die in the odour of sanctitude.

Don't be a realist
and lose the cradle's
melancholy.

LA PUDOR DE L'OXIDANT

Boscos fent olor de lleixiu.
Cucs gaudint del pernil florit.
Maduixes amb gust de detergent.
Perfums comercials fets de fems.

Quina pudor,
és la pudor de l'oxidant.
Quin regust, quin fàstic,
és la pudor de l'oxidant.
Ecss.

Orxata sagnada amb pebre.
Xoriços grocs d'urani.
Samfaines fetes amb sarró.
Mongetes amb regust de llet.

Quina pudor,
és la pudor de l'oxidant.
Quin regust, quin fàstic,
és la pudor de l'oxidant.
Puaggg.

Coca de tomàquets podrits.
Dònut amb gust de xop.
Canyes de crema de cervesa.
Nata negreta i àcida.

Quina pudor,
és la pudor de l'oxidant.
Quin regust, quin fàstic,
és la pudor de l'oxidant.
Puaggg, quin fàstic, puaggg.

STENCH OF RUST

Forests stinking of bleach.
Grubs basking in purple ham.
Strawberries that taste of detergent.
Tawdry perfumes made from dung.

What a stench.
It's the stench of rust.
Disgusting! Sickening!
It's the stench of rust.
Errghhhhhhh!

Horchata bleeding with pepper.
Uranium-yellow chorizos.
Pottage made from leather pouch.
Beans with milky aftertaste.

What a stench.
It's the stench of rust.
Disgusting! Sickening!
It's the stench of rust.
Errghhhhhhh!

Rotten-tomato flatbreads.
Beerglass-flavoured doughnut.
Full glasses of lagery froth.
Pungent lumpy cream.

What a stench.
It's the stench of rust.
Disgusting! Sickening!
It's the stench of rust.
Errghhhhhhh! Sickening!

TRENCACLOSQUES

Comencem la vida des
de la negror,
i l'acabem envoltats
amb il·luminació.

Mai en recordem ni l'inici
ni l'obscuritat,
perquè estem
enverinats per tanta
claredat.

Tan sols recollim
paperines verdes,
amb suor i sense
sentiment.

Per semblar que vivim
bé,
al bat d'un sol generós
(que no abusa de la
seva forca).

Trencaclosques sense
respostes,
per ser ràpids com
llagostes.
Trencaclosques amb
mentides,
pels somiadors
d'apologies.

Trencaclosques per
nens i nenes,
per fer-los llests i sense
problemes.
Trencaclosques amb
petites venes,

JIGSAW PUZZLE

We begin life
in total darkness,
and end it enveloped
by light.

We never recall the start
or the obscurity,
because we're
poisoned by so much
clarity.

We gather up only
rolls of green paper,
sweating
without emotion.

To pretend that we live
well,
to the beat of a bountiful sun
(that doesn't abuse
its power).

Jigsaw puzzles without
answers,
for speedy locust
dancers.
Jigsaw puzzles made
of lies,
for dreamers
who eulogize.

Jigsaw puzzles for
boys and girls,
to make them smart
and problem-free.
Jigsaw puzzles with
tiny veins,

per on corren la sang i
les penes.

Obeint cegament,
fent realitat
el nostre viure,
creant millors i pitjors.
Fins que abans de la
negror, ens adonem
que tot és un teatre per la
supervivència.

Ens lamentem de la
vida perduda,
de totes les persones
enganyades
encara que mai ho
confessem
(Trencaclosques i
matamosques,
que acaben amb els
sorolls i respostes.
Trencaclosques amb
imatges,
per sotmetre les ments
dels ostatges).

through which trickle blood
and shame.

In blind obedience, we make
reality our lives,
creating 'bests' and 'worsts.'
Until, before
the darkness,
we realize that everything
is a theatre
of survival.

And we mourn
for the wasted lives
of all those people
led astray,
even though we never
admit it
(Jigsaw puzzles and
fly swatters,
that silence all
protests and plotters.
Jigsaw puzzles with
pictures.
locking minds under
strictures).

LA FRUITA DEL TEMPS

La fruita ja no madura
com abans,
perquè la pluja i la
calor són inconstants.

Les gotes de la pluja
ara són de colors,
encara que cremin
totes les flors.

Les cireres es mengen grogues,
i els tomàquets rosats,
perquè el sol és tímid,
i s'ha amagat.

Els Pirineus ja no són
ni nadalencs ni blancs,
perquè la neu
s'ha descongelat.

Les taronges ja no
tenen ni pell ni suc,
i només se les
cruspeixen els rucs.

Les glans del bosc són
tan petites,
que fins i tot les truges
feres estan encongides.

TIME'S FRUIT

The fruit no longer ripens
as before,
For rain and heat
aren't constant any more.

The raindrops
now come in colours,
even though they burn
all the flowers.

Cherries are eaten yellow
and tomatoes pink,
because the sun is shy
and retiring.

The Pyrenees have lost
their Christmas white,
because the snow
has thawed from sight.

Oranges contain
no juice or zest,
just husk and rind
for donkeys at best.

Forest acorns are so
small today,
that even wild boars
have wasted away.

POETES ETERNS

Fonemes i sons que reciten romanços,
per portar les alegries a cabassos.
Fonemes que criden la guerra
per sotmetre la gent sense terra.

Fonemes i sons que il·luminen la terra,
sense poder dormir ni mirar enrera
Fonemes i sons a sota els llençols,
per crear éssers amb *por a les cols*.

Lletres i paraules que ajuden diables,
a recitar mentides a les aules.
Lletres i paraules escrites en faules,
per crear mites de sobretaules.

Lletres i paraules per guanyar medalles,
per després cremar-les a les falles.
Lletres i paraules que creant rialles,
perquè la gent no lluiti a les batalles.

Poetes eterns que venen a visitar-te,
per controlar que pots guardar-te.
Poetes eterns que no et deixen graduar-te,
per continuar ensenyant la seva marca.

Poetes eterns que no deixen publicar-te,
per poder seguir amoïnant-te.
Poetes eterns que manipulen la teva ment,
per desorientar el teu rendiment.

ETERNAL POETS

Phonemes and sounds that reel off romances,
to bring an abundance of joys.
Phonemes that sound the war cry,
to bring landless people to heel.

Phonemes and sounds that lighten the earth,
with no chance of sleep or backward glance.
Phonemes and sounds made under the sheets,
to create lives *afraid of cabbages.*

Letters and words that help devils,
to recite lies in the classrooms.
Letters and words written in fables,
to create after-dinner legends.

Letters and words to win medals,
and then burn them in the bonfires.
Letters and words that provoke laughter,
so that people refuse to fight in battle.

Eternal poets that pay you a visit,
to eke control of your self-protection.
Eternal Poets revoking your graduation,
to maintain the imprint of their instruction.

Eternal poets who refuse your publication,
to keep you in eternal strife.
Eternal poets who mold your mind,
in weary discombobulation.

LA FORÇA DE LA RAÓ

Ha passat tanta gent que som tothom,
que sempre coneixem el que ve de nou.
Alguns han matat, altres han estimat,
sempre els seus fills s'han integrat.

No gastis les forces, i continua treballant,
que la coherència mai ha traït l'elefant.
Deixa que els altres vagin anunciant
i somia el moment, mentre vas respirant.

La força de la raó fa que puguem esperar,
tants anys com vulguem pel moment estel·lar.
La força de la raó terroritza a l'ignorant
que per la força creu que tot ho aconseguirà.

Recorda que molts de nosaltres som lluny,
encara que escoltem al cor la patum.
Recorda que molts de nosaltres hem marxat,
encara que mai de la lluita hem plegat.

Només els que conreen l'esperança resistiran.
Ni tenen por ni cap mancança – estan hivernant.
Només els que pateixen el temps aguantaran
per rebre un premi contundent – lliure com l'oceà.

La força de la raó, fa que puguem esperar.
Tants anys com vulguem, pel moment estel·lar.
La força de la raó terroritza a l'ignorant,
que per la força creu que tot ho aconseguirà.

THE STRENGTH OF REASON

So many have come through that we are all,
that we always know the one who comes again.
Some of them have killed, others have loved,
but their children have always blended in.

Don't waste your strength, continue working,
coherence never did betray the elephant.
Let others proceed in self-proclamation
and dream the moment as you are breathing.

The strength of reason allows us to wait,
the years we may need for that stellar moment.
The strength of reason terrorises the ignoramus
who through force believes in his fatal success.

Remember that many of us are far away,
though still we hear the Patum in our hearts.
Remember that many of us are gone,
though we've never ever folded from the fray.

Only those who nurture hope will resist.
No fear or misgivings – they're just in hibernation.
Only those who suffer time will persist
to get their glowing prize – to be free as the ocean.

The strength of reason allows us to wait
the years we may need for that stellar moment.
The strength of reason terrorises the ignoramus
who through force believes in his fatal success.

GAUDINT COM UN NEN

Experimenta amb la ment,
gaudint com un nen.
No esdevinguis un creient,
perquè la vida perd l'al·licient.

Destrosses les neurones,
rumiant fantasies.
Estens les hores
per pagar les gosadies.

Retoques la cara,
esmunyint-te en imatges,
observant com canvies
per poder amargar-te.

Experimenta amb la ment,
gaudint com un nen.
No esdevinguis un creient,
perquè la vida perd l'al·licient.

Rodes socialment,
envoltat de moviment,
competint per sobreviure
el desig latent.

Finestrejant les inquietuds,
lliscant-les sense pietat,
ingurgitant l'orgull
a l'abisme emocional.

Experimenta amb la ment,
gaudint com un nen.
No esdevinguis un creient,
perquè la vida perd l'al·licient.

PLAYING LIKE A CHILD

Mess around with your mind,
playing like a child.
Don't become a believer,
Life's losing its appeal.

Obliterating neurons,
you chew over fantasies.
You're stretching time,
to pay for your audacities.

Touching up your face,
you squeeze through reflections,
watching how you change
in hope of being hidden.

Mess around with your mind,
playing like a child.
Don't become a believer,
Life's losing its appeal.

Socially whirling,
you're encircled by motion,
competing to survive
your latent desire.

Gazing out at anxieties,
tripping them profanely,
gurgling pride
at the abyss of emotion.

Mess around with your mind,
playing like a child.
Don't become a believer,
Life's losing its appeal.

RECORDS

Records per no esvair-se,
perquè sempre són vius.
Records que no marxen,
perquè enlluernen la foscor.

Records dels grans mals,
fent les vides emocionants.
Records dels grans amors,
fent el temps excitant.

No sabem d'on venen,
per això continuen allà.
No sabem on van,
perquè no han callat.

Mai aturem les seves veus,
perquè moriríem de pena.
Mai aturem les seves accions,
perquè embogiríem.

Dubtem si el so emmudeix,
perquè la vida no passa.
Dubtem quan no diuen re,
perquè sembla un gra massa.

Mai aturem les seves veus,
perquè moriríem de pena.
Mai aturem les seves accions,
perquè embogiríem.

Dubtem si el so emmudeix,
perquè la vida no passa.
Dubtem quan no diuen re,
perquè sembla un gra massa.

MEMORIES

Memories not to fade away,
because they're always living.
Memories that just won't go,
dazzling in our darkness.

Memories of great suffering,
making lives compelling.
Memories of great loving,
making times exciting.

We don't know where they come from,
that's why they're always there.
We don't know where they're going,
because they won't forbear.

We'll never shut their voices,
for then we'd die of grief.
We'll never stop their workings,
for then we'd go insane.

We doubt when their sound is hushed,
because there's no sign of life.
We doubt when they've got nothing to say,
turning silence into strife.

We'll never shut their voices,
for then we'd die of grief.
We'll never stop their workings,
for then we'd go insane.

We doubt when their sound is hushed,
because there's no sign of life.
We doubt when they've got nothing to say
and turn silence into strife.

PORTAR LA PAU ALS NOSTRES CASALS

Qui portarà la pau als nostres Casals,
sense haver d'amagar la nostra identitat?
Qui podrà entendre que només volem ser
lliures com l'esperit de l'esparver?

Qui pot escoltar el cant dels ocells,
sinó els han deixat volar en els cels?
Qui podria fer-los cantar en gàbies
si han de xiular sense ràbia?

El foc s'ha extingit,
mentre érem a l'alta mar.
Les herbes han tapat
les cendres del patiment.
El fum s'ha esvaït
mostrant les llavors del futur.

Així els ocells han tornat
a volar als cels destronats.
Les arrels s'han despertat,
les plantes han florit.
Finalment, la gent pot parlar
sense haver-se d'amagar.

Per què callem com mòmies
si les barres s'han enfonsat?
Per què ens obliguem a ser
El que no sentim en ple?

Per què no escoltem el cant dels ocells
ara que poden volar el nostre cel?
Per què no curem els últims mals
per portar la Pau als nostres Casals?

A Pau Casals

BRINGING PEACE TO OUR CASALS

Who'll bring peace to our Casals,
houses where our identity can reside?
Who understands that we only want to be
free like the sparrowhawk's spirit?

Who can hear the songs of the birds,
but have stopped them from roaming the skies?
Who would make them sing in cages
if they must whistle without anger?

The fire's gone out while
we were on the high seas.
Herbs have choked
the ashes of pain.
The smoke has faded
showing seeds of the future.

The birds have then come back
to fly in ousted skies.
Roots have come alive,
plants are in full bloom.
At last the people speak
without the need to hide.

Why are we mute like mummies
if the bars have dropped away?
Why do we feel the need
to need what we don't feel?

Why can't we hear the songs of the birds?
now that our skies are their court?
Why can't we cure the final ills
to bring Peace again to our Casals?

In memory of Pau Casals

LA NIT, SER JOVE I LA MORT

Recorda aquella nit llarga,
quina por vam patir,
on la mort ens visità,
sense emportar-se la veritat.

Érem massa joves per saber,
i bojos per raonar,
les ruqueries dels anys
sense el sentit embrutat.

Només obres portes innocentment,
sense saber quins dimonis ploraran,
sense saber quins àngels cridaran.
Només excitament sense preu cercaràs.

La mort ha tornat més tard,
sense saludar ni avisar.
Ha sabut conquerir l'enigma,
i ens ha transportat a l'abisme.

Recorda aquella nit llarga,
quina por vam patir,
on la mort ens visità,
i ja no som allà.

NIGHT, YOUTH AND DEATH

Remember that long night,
we were so afraid;
when death looked us up,
but left us with the truth.

We were too young to know,
too mad to reason why,
the trifles of our age,
free of tarnished meaning.

Just innocently opening doors,
you can't know which demons cry,
you can't know which angels scream.
'Just cheap thrills' is all you need.

Death came back later,
no greeting or 'here I am'.
It vanquished the enigma
and led us to the abyss.

Remember that long night,
we were so afraid;
when death looked us up,
and now we're gone.

COLORS, SENSACIONS I ALEGRIES

Les llums de la vida
no es poden apagar;
perquè el cercle i el mite
no saben on anar.

La sarna ja no calcula
les morts i les atrocitats;
perquè les tombes tremolen
per la seva caducitat.

La virtut és una memòria
i el passat una tenacitat.
L'orgull eclipsa la veritat
avergonyint la sinceritat.

La por no exclama santedat,
perquè l'obscuritat s'ha desintegrat.
Tot són colors vius i fantasies,
i muntanyes i muntanyes d'ansietat.

El silenci, la buidor, i la veritat
no són virtualitats;
perquè la pudor i el codonyat
son revoltes de puritats.

El significat i les sensacions
són produïts amb honors.
La pietat i la relació
són comptes amb humor.

Dedicada a la vida.

COLOURS, SENSATIONS AND JOYS

You can't put out
the lights of existence.
The circle and the myth
can't see the distance.

Of deaths and atrocities
scabies knows no calculation.
The tombs all tremble
with their expiration.

Virtue's just a memory
the past a persistence.
Hubris eclipsing truth
shames frank resistance.

Fear's no cry of sanctity,
for darkness split asunder.
It's all living colour, fantasies
and heaps and heaps of angst.

Silence, emptiness and truth
are not potentialities.
Plague and quince jelly,
you see, are riots of purities.

Meaning and sensations
are produced with honours.
Pity and connections
are humorous accounts.

Dedicated to life.

ROMAN, ROMAN, ROMAN...

Quina lluna enlluerna
sense el llop i l'empenta?
Quin xàfec mulla
sense dissoldre cap engruna?

Esmuny les eternes friccions,
retallant l'honor.
Esmuny la grisor del cel,
mesclant-lo amb mel.

Córrer darrere dels temps
sense educar els nens.
Córrer fugin del pes
sense obviar el suspens.

Quin vent allunya
sense produir l'angúnia.
Quin mar ofega
sense un que gemega.

Esmuny el tel de l'horror,
creant la mala maror.
Esmuny la suau cançó,
visualitzant el dolor.

Córrer enrarint els béns
sense els ingredients.
Córrer obrint els vents
sense fugir dels oients.

Roman callat al forat
sense ser amoïnat.
Roman visat al camp
sense fruir del galant.

STAY, STAY, STAY...

Which moon bedazzles
without the wolf or goad?
Which torrent plashes
no solution for its load?

Slipping eternal frictions,
honour cicatrix.
Slipping heaven's grey,
honey in the mix.

Running behind time
without teaching our youth.
Running, fleeing the weight
where suspense leads to truth.

Which wind runs
without inciting anguish.
Which sea drowns
without a groaning fish.

Slip the film of horror,
spawning bad blood again.
Slip the gentle song,
dreaming up the pain.

Run – our thinning goods,
no more ingredients.
Run – unfolding winds,
no flight from our audience.

Stay – hushed to the hole
keeping peace of mind.
Stay – glued to the land
no zest for the leading man.

Roman perseguit pel llamp
sense seguir el cran.
Roman estimat pel llamp,
roman, roman, roman...

Stay – chased by thunderbolt
in no pursuit of the groove.
Stay – loved by thunderbolt,
stay, stay, stay...

EL CANT DELS OCELLS

El cant dels ocells,
el cant dels ocells,
el cant dels ocells.
Vull escoltar el cant dels ocells.
Vull escoltar el xiulet dels ocells.

No vull treballar ni suar,
ni calçar-me les espardenyes,
ni anar al camp a arrencar herbes.

No vull trencar-me el cap pensant
en hipoteques, família, i pensions
que tallen la meva petita eternitat.

Vull ser lliure com un ocell,
sentir-me sense fer re,
a esperar a escoltar:

El cant dels ocells,
el cant dels ocells,
el cant dels ocells.
Vull escoltar el cant dels ocells.
Vull escoltar el xiulet dels ocells.

No em mengis el cap,
que he estudiat,
per ser lliure com un arruïnat.
Diumenge compres
canelons i pollastre a l'ast.
L'únic dia que la mare no ha de cuinar.
Calla que sempre estàs igual:
amb l'excusa del no treballar,
per rentar-me el cap.

El cant dels ocells,
el cant dels ocells,
el cant dels ocells.

SONG OF THE BIRDS

Song of the birds,
song of the birds,
song of the birds.
I want to hear the song of the birds.
I want to hear the birds chirping.

I don't want to toil or sweat,
or put on my espadrilles,
or head for the fields to pull up roots.

I don't want to rot my brains mulling
on mortgages, family and pensions
that cut short my tiny eternity.

I want to be free as a bird,
feel while doing nothing,
hope while listening:

Song of the birds,
song of the birds,
song of the birds.
I want to hear the song of the birds.
I want to hear the birds chirping.

Quit mincing my mind,
I've studied,
to be free as a stony-broke.
You do the Sunday shop,
cannelloni and chicken skewer.
The only day mother's not cooking.
Belt up – always the same:
with your excuse of not working,
to wash my brain.

Song of the birds,
song of the birds,
song of the birds.

Vull escoltar el cant dels ocells.
Vull escoltar el xiulet dels ocells.

La vida no és només
ser jove i després pencar.
Prou de ruqueries,
deixa'm lliure;
que no estic enverinat
pel mateix malestar
que et fa ets un jove castrat.

El cant dels ocells,
el cant dels ocells,
el cant dels ocells.
Vull escoltar el cant dels ocells.
Vull escoltar el xiulet dels ocells.

Dius que la música és pels morts
i treballar pels vius.
La teva llibertat és construïda
amb deures bancaris,
per esdevenir un panxut.
La meva no és
ni imposada, ni comprada,
és internament engendrada.

El cant dels ocells,
el cant dels ocells,
el cant dels ocells.
Vull escoltar el cant dels ocells.
Vull escoltar el xiulet dels ocells.

Ja no em confons
amb les teves filosofies,
home vell i tarat.
Sembles jove i treballador,
amb tanta plasticitat,
i tan retardant.
En el fons ets un frustrat,

I want to hear the song of the birds.
I want to hear the birds chirping.

Life's not just being
young and then hard slog.
Enough bunkum,
let me be free;
I'm not envenomed
by the same malaise
that makes of you a young castrato.

Song of the birds,
song of the birds,
song of the birds.
I want to hear the song of the birds.
I want to hear the birds chirping.

You tell me music's for the dead
and work for the living.
You freedom's constructed
on banking debts,
for potbellied profits.
Mine's
not imposed, nor bought,
but engendered from within.

Song of the birds,
song of the birds,
song of the birds.
I want to hear the song of the birds.
I want to hear the birds chirping.

You can't confuse me now
with your philosophies,
dotty old man.
You seem young, hard-working,
with such plasticity,
and so chilled out.
Deep down you're a would-be,

perquè has cregut
el que t'ha proveït la societat.

El cant dels ocells,
el cant dels ocells,
el cant dels ocells.
Vull escoltar el cant dels ocells.

Vull escoltar el xiulet dels ocells.

Respon dels teus actes,
que a la tomba
tot és silenci.
Ara respires, vius,
aleshores només pateixes,
un silenci d'emocions,
encapsades a dins
d'un purgatori sense sortida,
esperant a escoltar:

El cant dels ocells,
el cant dels ocells,
el cant dels ocells.
Vull escoltar el cant dels ocells.
Vull escoltar el xiulet dels ocells.

because you've swallowed whole
all of society's provisions.

Song of the birds,
song of the birds,
song of the birds.
I want to hear the song of the birds.

I want to hear the birds chirping.

Account for you actions,
for in the grave
all is silence.
Your breathing, living, for now,
then you merely suffer,
a silence of emotions,
boxed up inside
a no-way-out purgatory,
waiting to listen:

Song of the birds,
song of the birds,
song of the birds.
I want to hear the song of the birds.
I want to hear the birds chirping.

SÓC EL TEU FILL

Mai m'ajudes a iniciar el camí.
Mai t'obres a ser el meu amic.
No sé qui ets home de retrets incerts,
que només vius en carrers estrets.

Mai sé distingir entre pare o veí.
M'odiaves absurdament com el verí.
Per què vas crear éssers humans?
Si només volies estar sol i amagat.

Per què només em feies cas violentament?
Quan algú més diu que l'he molestat,
per abusar del meu cor, cos, i ment,
sense poder defensar-me davant el rancor.

Recorda, recorda,
que sóc el teu nadó,
encara que de diferent color,
he nascut per ser estimat,
no per ser torturat.

Rebutges a acceptar com sóc,
perquè mai has obert el teu cor.
Només sóc el focus del teu dolor,
per això no qualla nostre amor.

Els meus amics són sempre millors.
Jo sóc patètic, retardat i diferent,
perquè no segueixo les activitats adients,
sense esdevenir un mercenari amb pors.

Recorda, recorda, que sóc el teu nadó,
encara que de diferent color.
He nascut per ser estimat, no per ser torturat,
sense cap oportunitat de demostrar,
que sóc el teu fill en realitat.

I'M YOUR SON

You never help me make my way.
You never melt to be my friend.
Who are you, man of vague rebukes,
who only lives in narrow streets?

I can't ever figure if you're father or neighbour.
You hated me absurdly like poison.
Why did you create human beings?
If you only wanted solitude and concealment.

Why did you notice me only with violence?
After someone else's pat complaint,
to trample my heart, my body and mind,
no means of defence amidst the rancour.

Remember, remember,
that I'm your baby,
though of different colour,
I was born to be loved,
not tortured.

You refuse to accept how I am,
you've never opened up your heart.
I'm just the focus of all your pain,
that's why our love won't curdle.

My friends - they're one step ahead,
Me - pathetic, dim-witted, different;
I don't pursue the right line of work,
without becoming a fearful mercenary.

Remember, remember, that I'm your baby,
though of different colour.
I was born to be loved, not tortured,
with no opportunity to show,
that, in fact, I'm your son.

Sento les seves pors en el vent,
com una pluja àcida i reverent.
Patiment continu i amargament,
és la meva vida incoherent.

I sense in the wind its fear,
like some reverential acid rain.
continual suffering and bitterness,
is my incoherent life.

LA LLIBERTAT

Sincerament no puc amagar-me més,
ja no sóc un adult sense innocència.
Sincerament no hi ha lloc per mi,
ni he treballat, ni sóc especialitzat.

Ara bé, he estudiat molt,
i he llegit més llibres que tu.
Tot perquè mai he cregut,
que la rutina i l'estalvi són el futur.

Jo només he patit la llibertat,
que no és ni imposada ni pagada,
ni un sentiment ni una idea,
és només una acció reconeguda.

Ja pots obtenir molts títols,
ja pots obtenir molts crèdits,
ja pots llegir molts capítols,
que la vius sense imprevistos.

FREEDOM

Frankly I can hide away no more,
no longer the innocence-free adult.
Frankly I can see no place for me,
no work, nor specialism to speak of.

Of course, my studies speak volumes,
I've read more books than you.
I've never thought, you understand,
that the future's just routine and saving.

Freedom's something I've only endured,
it's not a payment or intrusion,
nor a sentiment or idea,
but just a deed of recognition.

You can gain a lot of titles,
you can earn a lot of credits,
you can read a lot of chapters,
you can live it without the windfall.

SALUTS DEL SUD

Saluts del sud,
home pelat i panxut,
on fa calor pel dia
i hi ha soroll a la nit.

Saluts del sud,
asteroides viatgers,
planetes vivents,
llunes constants.

Saluts del sud
moguda joventut,
on podeu nedar
i menjar bacallà.

Saluts del sud
sense gens de vergonya,
un lloc tan ric
però, ple de neguit.

Saluts del sud,
saluts d'Ibèria,
un espai tan gran
sempre en guerra.

Saluts del nord
el sud ara és groc,
ple de conflictes
i grans pol·lucions.

Dedicada a Pep Torra que em visualitza el tarannà ibèric

GREETINGS FROM THE SOUTH

Greetings from the south,
bald, paunchy man,
where the day is hot
and nights are loud.

Greetings from the south,
asteroids in transit,
living planets,
constant moons.

Greetings from the south,
animated youth,
where you swim in techno,
eating cod and chips.

Greetings from the south
with no sense of shame,
such a place of riches
yet racked with agitation.

Greetings from the south,
greetings from Iberia,
such an open space
yet always at war.

Greetings from the south,
the south is yellow now,
besieged by conflicts
and boundless pollution.

Dedicated to Pep Torra who gave me an insight into the Iberian character

DÉU VOS GUARD

Déu Vos Guard,
Déu Vos Guard,
home de Déu.
He escoltat, he escoltat,
que la mel ha florit.

Què ha passat?
Què ha passat,
home de Déu?
No testo, no testo,
la dolçor de la mel.

Què farem? Què farem,
home de Déu?
Si no hi ha, si no hi ha,
ni colors ni pensaments.

On anirem? On anirem,
home de Déu?
Creuarem, creuarem,
la veritat de la veu.

Arreveure? Arreveure,
home de Déu?
He escoltat, he escoltat,
que la raó s'ha estripat.

Dedicat al Marinetti, l'últim revolucionari autèntic de Déu

GOD KEEP YOU

God keep you,
God keep you,
man of God.
I've heard, I've heard...
the honey's blossomed.

What's happened?
What's happened,
man of God?
I can't taste, can't taste...
the honey's sweetness.

What shall we do, shall we do,
man of God?
If there are no, are no...
colours or reflections.

Where will be go, will we go,
man of God?
We'll cross, we'll cross...
the voice's truth.

Adieu then, adieu,
man of God?
I've heard, I've heard...
reason's been ripped apart.

Dedicated to Marinetti, God's last authentic revolutionary

GERMANS! GERMANS!

Germans del nord!
Germans del sud!
Germans de les illes!
Els que no calcem sabatilles.

Caminem amb espardenyes,
i plantem el comerç amb elles.
Negociem amb espardenyes
i comerciem la festa amb elles.

La barretina ens amaga el seny,
per poder anar de cara al vent.
La barretina ens mostra la rauxa,
per poder controlar la disbauxa.

Germans del nord!
Germans del sud!
Germans de les illes!
Els que no calcem sabatilles.

Amb el porró ple de cava,
celebrem tots els calés,
que tots hem guanyat,
abans que el porro s'hagi buidat.

Sempre diuen que som febles,
deprimits, esquifits, i sense regles.
Sempre diuen que som aïllats,
excepte les despeses els hem pagat.

Germans del nord!
Germans del sud!
Germans de les illes!
Els que no calcem sabatilles.

BROTHERS! BROTHERS!

Brothers of the north!
Brothers of the south!
Brothers of the islands!
Those of us not in carpet slippers.

We walk in espadrilles,
in them we ply our trade.
We bargain in espadrilles,
in them we trade on celebration.

The barretina hides our *seny*,
our will to face the wind.
The barretina shows our *rauxa*,
our urge to stem debauchery.

Brothers of the north!
Brothers of the south!
Brothers of the islands!
Those of us not in carpet slippers.

With a jugful of cava
we'll have a blowout for the dosh
we've all made
before the porron runs dry.

They're always calling us weak,
gloomy, sickly, anarchic.
Or cloistered and apart,
when not paying their expenses.

Brothers of the north!
Brothers of the south!
Brothers of the islands!
Those of us not in carpet slippers.

Hem estat aquí, hem marxat allà.
Coneixem els de l'est,
mengem amb els de l'oest,
i negociem amb els dels sud.

Crescut, sempre hem volgut.
Saber, tant com els altres.
Però tant or hem esgarrapat,
que mai hem aconseguit la llibertat.

We've been here, we've been there.
We know those from the East,
eat with those from the West,
and bargain with those from the South.

Matured - that's always been our wish.
To know as much as the others.
For all the gold we've scratched away,
our freedom still lies beyond us.

ROSEGAR PA

Aquest pa és dur ara.
Aquest pa serà tou demà.
O menges pa de roca
o mastegues pa de xiclet.

Qui és el flequer del poble
que barreja de sobte?
Que no s'aixeca d'hora?
Que fa el pa amb sorra?

Amb la filla del flequer
l'immigrant s'hi casà;
i en flequer es convertí
sense res més a dir.

Fa anys que la gent del poble
compra dues racions de pa.
Una del flequer nostre
i l'altra del d'allà.

La primera és per la família.
La segona és pel bestiar.
La primera es menja d'amagat.
La segona s'ha regalat.

Que pòtols que sou per aquí.
Per què no li dieu clar?
Que els rucs no poden fer pa
sinó tirar del carro i callar.

No li digueu re.
Que té una tempesta tan dolenta
que ningú aixeca el cap
ni per la festa del nap.

CHEWING BREAD

This bread is hard now.
This bread is soft tomorrow.
You can eat rock bread
or chew on bread like gum.

Who's the village baker
suddenly in the mix?
Who's not an early riser
and makes the bread like bricks?

To the baker's daughter
the immigrant got wed;
and he became a baker,
with nothing to be said.

For years the village people
have bought two loaves of bread.
One is from our baker
the other from overhead.

The first for the family.
The second for the beasts.
The first consumed in hiding.
The second to confide in.

What rogues you are round here!
Why not tell him loud and clear?
Donkeys don't bake bread or near
They pull the cart and just adhere.

Not a word to him though.
Such a storm rages within
no one lifts their head
not even for the festival.

Aquí tothom calla
sense explicar cap rondalla.
I ell només ens diu:
A rosegar pa i a callar!

Everyone is silent here,
no fables to be told.
He just sits and tells us:
Chew your bread and behold!

UN MAL SOMNI?

Les orenetes criden la pau.
Les gavines desallotgen el cau.
L'àliga juga a futbol.
El kiwi camina sota el sol.

Els gats neden al mar.
Les balenes estiuegen a Sant Feliu.
Els llops mengen xocolata,
no et voldria dir què fan les rates.

L'actriu parla de síndries.
El paleontòleg estudia llums.
El fruiter recita poemes marins.
L'astròleg estudia pelegrins.

El cotxe és independentista.
La llauna és de dretes.
La capsa del centre,
i la caixa d'on caigui el ventre.

La raó ha deixat els humans?
Perquè la realitat és semblant,
a un quilo de bacallà mig tallat.
Així no vull ni obrir els ulls ni ser alçat.

A BAD DREAM?

Swallows crying for peace.
Seagulls vacating their lair.
The eagle playing football.
The kiwi prancing down there.

Cats swimming in the sea.
Whales summering at Sant Feliu.
Wolves eating chocolate,
I shouldn't tell you what the rats are up to.

The actress harping on watermelons.
The paleontologist studying lights.
The fruiterer telling poems of the sea.
The astrologist watching pilgrims.

The car's an independentist.
The can's on the right.
The box is a centrist
and the tea chest blows with the night.

Has reason left humans behind?
Reality now seems
like a kilo of half-cut cod.
That's why I won't open my eyes or be woken.

RES DE NOU

Núvols grisos i malsons,
caramels suaus i obsessions.
Pluja groga i bufolles,
tota la merda que omple ampolles.

Desitjos llunyans i grans focs,
fantasies il·lustres i rovellons.
Somnis lluents i caps de setmana,
tota la vida que demanava.

Res de nou.
Tothom sota el jou.
El que ven llibertat
és un estafador ben pagat.

Orelles captives i cabells de colors,
ulls en blanc i sensacions.
Nassos enfarinats i caps buits,
tota la vida farcida de nous rics.

Res de nou.
Tothom sota el jou.
El que ven llibertat
és un estafador ben pagat.

Fonamentalismes immediats,
llibertats publicitàries.
Informacions temeràries,
ajustaments ordinaris.

NOTHING NEW

Murky clouds and nightmares,
mushy toffees and obsessions.
Yellow rain and mottles,
all the crap of brimming bottles.

Distant longings and giant flames,
lofty fantasies and mushrooms.
Shiny dreams and weekends,
all the life I ever asked for.

Nothing new.
Everyone under the yoke.
He who sells freedom
is a well-paid trickster.

Captive ears and multi-coloured hair,
vacant eyes and sensations.
Floured nostrils and empty heads,
the loaded lives of the nouveau riche.

Nothing new.
Everyone under the yoke.
He who sells freedom
is a well-paid trickster.

Instant fundamentalisms,
freedom flyer promotion.
Reckless breaking newsflash,
humdrum readjustments.

LA LLEI DE LA SÚPER-CONVIVÈNCIA

Venint de Bristol i tocant a Gràcia,
on la rumba és el so dels carrers.
Una velleta m'escridassà fortament
que els catalans ja som europeus!
I ja no fem xivarri al carrer.
El seny és el que s'ha imposat.

La rauxa s'ha curat,
sense cap trauma ni lluita.
Les emocions són al taulat,
per la llei que s'ha imposat.

És la llei de la súper convivència,
per fer front a l'expressió.
Per fugir de la demència
és el futur de l'art i la raó.

És la llei de la súper convivència,
perquè no es pugui protestar.
Ni xiular ni picar de mans,
és la llei de l'home civilitzat.

No et preocupis per la música,
no dona calés, ni té futur,
que el país ja funcionarà,
pagant i amb la publicitat.

Dedicada a tots els Perets que no ens deixen tocar als carrers

THE LAW OF SUPER-COEXISTENCE

En route from Bristol, making for Gràcia,
where rumba is the word on the street.
A little old dear chided me sharply
that we Catalans are now Europeans!
No more charivari in the road.
Decorum, *seny*, is the order of the day.

Our fever, *rauxa*, has been cured,
no trauma or struggle in that.
Emotions are up on the roof,
it's the law that's been imposed.

The Law of Super-Coexistence,
frowning down on self-expression.
New rules for fleeing our dementia,
it's the future of art and reason.

The Law of Super-Coexistence,
a clause to halt our protestation.
No whistling, no clapping hands,
it's the law of the civilized man.

Don't worry about the music,
no money, no future in that;
the country will be just fine
with our promotional tit-for-tat.

Dedicated to all the Perets who won't let us play in the streets

ELS ALTRES CATALANS

Venim d'aquí i d'allà
amb pasteres, trens o nedant.
Encara que és un país preciós
no fem turisme ni consumicions.

Venim a menjar i treballar,
a evitar el destí i la crueltat.
A barraques hem de dormir,
a les ciutats dels nostres botxins.

Som els altres Catalans
els que treballem el jornal.
Som els altres Catalans
aquells els més lleials.

Engrunes de pa mullat
omplen la panxa i el demà.
Riem després de pencar
perquè el sacrifici és inhumà.

Plorem als germans matats
per armes dels vostres soldats.
Per robar l'oli negre
l'ànima de la tenebra.

Som els altres Catalans
els que treballem el jornal.
Som els altres Catalans
aquells els més lleials.

Els pares ja han marxat
i de l'infern no han tornat.
Els vau acollir per caritat
per amagar el vostre pecat.

THE OTHER CATALANS

We come from here and there
in dinghies, trains or swimming.
Despite this country's fine attractions,
we're not here for tourism or wine.

We come to eat and work,
to escape our fate and cruelty.
We're forced to sleep in shacks
in the cities of our tormentors.

We're the other Catalans
here to earn our daily crust.
We're the other Catalans
the ones you should trust.

Crumbs of soggy bread
fill our guts and our tomorrows.
We laugh then at our graft
because the sacrifice is inhuman.

We cry for our brothers killed
by the arms of your soldiers.
To steal the black oil –
the soul of the darkness.

We're the other Catalans
here to earn our daily crust.
We're the other Catalans
the ones you should trust.

Our parents are now gone:
from that hell they never came back.
Your charity welcomed them in
to hide away your sin.

Nosaltres els fills hem lluitat,
per fer aquest país més gran.
El sacrifici de lluitar una guerra,
per fer lliure aquesta terra.

Som els altres Catalans
els que treballem el jornal.
Som els altres Catalans
aquells els més lleials.

Som els altres Catalans
amb el poder a la mà.
Som els altres Catalans
aquells els més cremants.

We their children have also fought
to make this land a great one.
Our sacrifice for a different war
to make this country a free one.

We're the other Catalans
here to earn our daily crust.
We're the other Catalans
the ones you should trust.

We're the other Catalans
with power in our hands.
We're the other Catalans
the most blazing in the land.

ET DIUEN QUE HI HA LLIBERTAT

Nou de la nit, al nostre poble,
no hi ha esperit, no hi ha brossa,
ni llums de colors, ni una mosca.
No hi ha ningú.
No hi ha ningú,
no sóc ningú.

No estàs d'acord amb la situació.
Surts als carrers, crides a tots.
Pots gemegar, pots queixar-te.
Hi ha llibertat.
Hi ha llibertat, et diuen
que hi ha llibertat.

Continues sentint el buit.
No hi ha lluita que continuï.
Fredor constant al teu cor.
Sens el món tot mort.

Cebes petites costen un euro.
Pollastre rostit, menjar de ric.
Llet de vaca a preu que esgarrapa.
No hi ha més sou.
No hi ha més sou,
no tinc més sou.

Nens que no poden llegir.
Nens enfarinats que beuen vi.
Televisió absurda, foc al Montseny.
No hi ha futur.
No hi ha futur,
no tinc futur.

Et preguntes pel valor
de cridar en Llibertat.
Tots els mals socials
sinó pots canviar l'endemà.

THEY TELL YOU THERE'S FREEDOM

Down in the village, it's nine o'clock,
not a soul in the street, no dregs,
no coloured lights, not even a fly.
There's nobody there.
There's nobody there,
I'm nobody.

You don't agree with this situation.
So you hit the streets, scream out loud.
You can moan, complain if you must.
There's freedom.
There's freedom, they tell you
there's freedom.

You go on feeling the noise.
No lasting struggle on show.
A constant chill in your heart.
Without this lifeless world.

Little onions cost a Euro.
Roast chicken, food for a king.
Cow's milk at scraping prices.
There's no more change.
There's no more change,
I've got no change.

Kids who can't read.
Powdered kids drinking wine.
Crazy television, fire at Montseny.
There's no future.
There's no future,
no future for me.

You ask yourself for strength
to cry Freedom.
All the social evils
if not, you can change next day.

CEL RAS, CEL RAS

Cel ras, cel ras,
els treballadors d'Elx no empren les mans,
perquè els empresaris són arrogants.

Cel ras, cel ras,
els treballadors del poble marxen a Castelló,
i els xiquets no saben ni escriure "regueró".

Cel ras, cel ras,
la gent d'Elx mor vomitant pa,
i els joves marxen a l'Orà.

Cel ras, cel ras,
l'eclipsi ha portat intel·lectuals,
però, el poble segueix sent ignorat.

Cel ras, cel ras,
els Valencians d'Orà han tornat,
amb noms francesos, i amb el canut buidat.

Cel ras, cel ras,
els pobles de joves s'han anat buidant,
perquè a la guerra de Cuba els ha anat matant.

Cel ras, cel ras,
el poble d'Elx s'ha engrescat,
per l'arribada d'un rei de poca qualitat.

Cel ras, cel ras,
Europa ja era al davant,
d'una Espanya de vividors i pobres ambulants.

Cel ras, cel ras,
aquest mite es repeteix sovint,
però la fantasia mai s'ha acabat establint.

CLEAR SKY, CLEAR SKY

Clear sky, clear sky,
the workers from Elx aren't doing their jobs,
because the managers are all snobs.

Clear sky, clear sky,
The village workers are marching to Castelló,
and the kids can't even write "go".

Clear sky, clear sky,
Elx folk die, vomiting bran,
and the youth is moving to Oran.

Clear sky, clear sky,
the eclipse brought us fine thinkers,
but the people are still tinkers.

Clear sky, clear sky,
Valencians from Oran have come back,
with French names and an empty sack.

Clear sky, clear sky,
the young have left villages by the score,
they've been killing in the Cuban war.

Clear sky, clear sky,
the village of Elx is intoxicated,
by the visit of a king who's pretty outdated.

Clear sky, clear sky,
Europe was now there to stalk us,
a Spain of scroungers and poor hawkers.

Clear sky, clear sky,
this myth is often repeated,
but the fantasy – we've always been cheated.

Cel ras, cel ras,
quin títol d'allò més més encertat,
per explicar una història oblidada dels Països Catalans.

Dedicada al Víctor i la Mercè per escriure la joia de llibre "Cel Ras"

Clear sky, clear sky,
what title could have more élan,
to explain a forgotten story of the Països Catalans.

Dedicated to Víctor and la Mercè for writing the jewel of a book,
"*Cel Ras*"

MESTRES?

El mestre no ensenya, mostra.
El mestre no mostra
els seus coneixements,
transfereix experiències.

El mestre no és mestre
perquè ho diuen els altres,
i/o perquè ho pensa, sent.
El mestre esdevé mestre
quan els seus estudiants
han esdevingut mestres.

Així, el mestre mai és mestre.

Dedicat a tots els Mestres.

TEACHERS?

The teacher doesn't teach – he unveils.
The teacher doesn't unveil
his knowledge,
he transfers experiences.

The teacher isn't a teacher
because the others say so,
and/or because he thinks it, feels it.
The teacher becomes a teacher
when his students
have become the teachers.

This means the teacher's never a teacher.

Dedicated to all the teachers.

LA FOSCOR

Raona la qüestió que mai et vas atrevir a espelletar.
Per què saps que abans de morir l'hauràs d'enfrontar?

Connecta l'esperit i les ganes de lluitar.
Per què necessitaràs tota la força de la diversitat?

No deslliguis els dits,
que remuntaran els fets.
No mesclis els sentiments,
que no podràs emocionar-te.

Acosta les tendències que et faran patir.
Descobreix què hi ha al darrere.
Trobaràs el nin, batejat pel món
i agredit per la ignorància?

Despulla la ment que encara viu,
desapareix del destí i desentrena la por.

Dedicat a Ajahn Gandhasilo

DARKNESS

Reason out the question you never dare to unpick.
How do you know you must confront it before you die?

Connect your spirit to the urge to fight.
Why will you need the whole force of diversity?

Don't untie your fingers,
they'll overcome the facts.
Don't mix up your feelings,
you'll never feel the thrill.

Approach the inclinations that make you feel pain.
Discover what lies behind them.
Will you find the child, baptised by the world
and injured by ignorance?

Undress the still-living mind,
disappear from fate and untrain your fear.

Dedicated to Ajahn Gandhasilo

EL DESIG

El desig esmenat seguia voltant a dins meu.
No volia sortir per por a la llum.
No volia sortir per por a l'amant.

Punxava a dins com una estaca clavada a la carn.
No volia acabar, per fer-me patir.
No volia acabar, per fer-me sentir.

Per molt mal interior,
Què faria jo sense aquest sentiment?
Sinò que anar
respirant, treballant, i callant.

Què diria al món
si no pogués patir
per un moment millor,
i per una vida amb claror?

El desig va sortir disparat!
Plorava per la nostra pèrdua,
plorava per la meva llibertat.

El desig va fer-se a la llum.
Nedant a l'aire, lliurament,
fruint en la veritat.
Mai recordant el temps rovellat!

DESIRE

My reformed desire kept on prowling within.
Refused to come out for fear of the light.
Refused to come out for fear of the lover.

It stabbed inside like a stake driven into flesh.
Refused to end – just to make me suffer.
Refused to end – just to make me feel.

For all this internal pain,
What would I do without this feeling?
If not go on
breathing, working, keeping schtum.

What would I say to the world
if I couldn't ache
for a better time,
a life with clarity?

My desire was shot out!
It was crying for our loss,
it was crying for my freedom.

My desire poured out.
Freely swimming in air,
revelling in truth.
Never recalling the time of rust!

ENGRUNES

Terroritzes les falsedats
manipulant la publicitat.
Enlluernes el misticisme
enfangant el classisme.

Recules aquí i allà
quan tastem la realitat.
No et preocupis massa
que estem del tot enverinats.

Et queixes del poc dinamisme,
després d'evaporar els istmes.
Per barrejar realitats i fantasies,
i imposar l'odi de les hipocresies.

Ja pots encreuar els mals,
que sense poder entrar
a la terra promesa,
un dia el teu poder cessarà.

Recules aquí i allà
quan tastem la realitat.
No et preocupis massa
que estem del tot enverinats.

Déu consoli els humans
si realment existeix.
Que la terra seguirà voltant,
reciclant, reciclant, reciclant.

CRUMBS

You fill untruths with terror
pulling promotional strings.
You bedazzle mysticism
caking classism in mud.

You flinch here and there
when we sample reality.
Don't worry too much –
we're totally poisoned.

You complain of a lack of zing,
when isthmuses disperse.
To mix realities and fantasies
and impose hypocrisies of hate.

You can now cross the pains,
unable to enter
the promised land,
one day your power will cease.

You flinch here and there
when we sample reality.
Don't worry too much –
we're totally poisoned.

May God console us humans
if he really exists.
The world will keep turning,
recycling, recycling, recycling.

LA MEVA GERMANA BESSONA LA MORT

Vaig néixer més a prop de la negror que de la claredat.
Era un cosset molt més blau que vermell.
Semblava una bomba orgànica a punt d'esclatar,
com una raó reprimida per segles i segles de seguretat.

Tanta claredat enlluernà la tranquil·litat de l'obscuritat,
que m'exilia del descans etern sense el patiment humà,
sense mai acceptar la meva germana imposada,
que plorava perquè tornés a casa trista i arraconada.

La meva germana bessona la mort,
encara que invisible sempre al meu costat.
Cada vegada que vaig a dormir,
prego amb profunda pietat
al déu inexistent i inventat,
demanant-li que mai torni a obrir els ulls.

La meva germana bessona la mort,
encara que invisible sempre al meu costat.
La calma, la quietud, la buidor,
ens entrellaça, ens enamora, ens captiva,
ens eternitza en els jocs innocents,
sense poder fer cas del vident.

I com qualsevol parella de bessons,
ens coneixem els secrets i les raons,
i sabem que la separació genera reaccions.
Germana ajuda'm, desalienem, vull fruir-te!

Ha arribat el moment de l'empenta final.
Germana meva no ploris, no gemeguis,
no respiris, no miris, no pensis, no cridis
lliura'm, lliura'm, lliura'm, lliura'm, lliura'm...

MY TWIN SISTER DEATH

I was born closer to darkness than clear light.
I was a little thing a lot more blue than red.
I was a sort of organic bomb about to explode,
like a reason bottled up securely for centuries and centuries.

Such clear light dazzled the tranquility of the shadows,
shunning me from that eternal rest without human suffering,
never able to accept my sister in imposition,
who cried to be brought home sad and driven into corners.

My twin sister death,
though always invisible by my side.
Each time I went to sleep,
I pray with profound piety
to the invented, inexistent god,
asking that I never again open my eyes.

My twin sister death,
though always invisible by my side.
Calmness, stillness, emptiness,
intertwine us, enamour us, hold us captive,
make us eternal in innocent games,
unable to heed the clairvoyant.

And like any pair of twins,
we know each other's secrets, reasons,
understand that separation breeds reactions.
Sister help me, let's stay close, I want to enjoy you!

The moment has come for the final push.
Sister mine, don't cry, don't moan,
don't breath, don't look, don't think, don't howl
free me, free me, free me, free me...

No vull conviure en aquest món cruel,
ensangonat pels desitjos bruts, impurs
per paperines irreals de colors amb dibuixos,
on comprem la llibertat i maten els germans.

Si us plau germana atura el meu cor,
no vull respirar més;
només vull jugar amb tu a res,
en la negror espacial del cicle etern.

I don't want to live in this cruel world,
bloody with brutal, impure desires
for cartoon-coloured fantasy binges,
where we buy our freedom and kill our brothers.

Please sister, please, cease now my heart,
I no longer want to breath;
I just want to play at sweet nothing with you,
in the dark space of the eternal cycle.

L'ETERNITAT

L'eternitat no crea condemnats,
ni canvia els regnes ni les adversitats.
L'eternitat és com un cercle viciós,
on el final no és inclòs.

Tan fàcil d'entendre
crea massa ressò.
Tan difícil de practicar
crea molta por.

Preexisteix o viu en ella,
oblidant les centelles.
Ni s'emprenya ni s'esquerda,
ella és sempre una revetlla.

L'eternitat viu entre nosaltres,
o vivim en la seva buidor?
L'amaguem momentàniament
en la butxaca del parlament?

L'amaguem per sempre,
entre somnis i vicis.
L'amaguem per sempre
entre somnis i vicis.

Constantment camina i no respira,
ni sent el mal ni recull el dia.
No permet, jutja ni executa,
alhora és un mar i una engruna.

L'eternitat és massa gran.
És com un oceà gegant,
on el temps i la pubertat
són molt insignificants.

ETERNITY

Eternity won't create prisoners,
change realms or misfortunes.
Eternity's like a vicious circle,
the end comes as an extra.

So easy to fathom
creating too much reverb.
So difficult to practise
creating too much fear.

It pre-exists or lives in itself,
no memory of the spark.
No pregnancy or crevices,
always up for a lark.

Is eternity there between us,
or are we living in its void?
Do we hide it momentarily
in the parliament's pouch?

We're hiding it forever,
between dreams and vices.
We're hiding if forever,
between dreams and vices.

On its constant breathless path,
it feels no pain, nor harvests the day.
It won't enable, judge or execute,
it's sea and crumb together.

Eternity's too vast.
Like a gigantic ocean,
where time and puberty
are mere bagatelles.

LA LLIBERTAT (VERSIÓ DE NIT)

Sincerament, no puc amagar-me
com un adult sense ànima.
Sincerament, no hi ha espai
per un virolai.

Sincerament, he estudiat molt,
per desfer-me del meu jou.
Sincerament, mai he cregut
que l'estalvi és el futur.

Sincerament, he patit la llibertat
no imposada ni pagada.
Sincerament, no és una idea,
és una acció no considerada.

Sincerament, els grans micos
et fan veure molts encisos.
Sincerament, no et preocupis
que ja la vius sense riscos.

FREEDOM (NIGHT VERSION)

Frankly, I can't hide away
like an adult without soul.
Frankly, there's no space
for a virelai.

Frankly, I've studied hard
to rid me of my yoke.
Frankly, I've never believed
that saving is the future.

Frankly, I've suffered freedom
that's not imposed or paid.
Frankly, it's not an idea,
it's a spontaneous action .

Frankly, the great apes
will show you many charms.
Frankly, please don't worry –
you're living it with no alarms.

SENTIMENTS I REALITATS

Recull les angúnies sense patir-les,
destrossa les ambicions amb sentit.
Tolera els plànols idíl·lics sense llum,
quan et canses d'habitar la buidor.

Congrega les sensacions sense esperit,
analitza la raó del castigament infernal.
Agrega el sentit fonètic del llevar-se,
renta't la cara amb la foscor rítmica.

Uneix les veritats negatives al forat,
recorda les tensions de la pau.
Per aconseguir la mitjana de contenció
divideix per incomunicar les insatisfaccions.

Reuneix els amics per nedar en núvols.
Extreu un somriure buidant ampolles.
Ser feliç momentàniament sense barreres.

FEELINGS AND REALITIES

Harvest your woes – but don't suffer them,
shatter all meaningless ambition.
Bear those idyllic schemes without light,
when you tire of inhabiting the void.

Gather those spiritless feelings,
examine the cause of infernal burden.
Combine the phonetic sense of take-off,
wash your face to the rhythm of darkness.

Unite negative truths in the hole,
remember the tensions of peace.
To reach the mean of containment:
divide for incomunicado discontent.

Reunite friends to swim among clouds.
Draw a smile by emptying bottles.
Be happy without borders – if only for the moment.

LA FI DEL MÓN

El trajecte de les veus
es va retallar ahir,
quan el so va aturar
la melodia de la sinceritat.

Ara sense parlar gens
la gent corre amb bogeria
pels carrers de la mentida,
sense poder evitar la ruqueria.

Signe de la societat,
s'amaguen en cases buides
de la calor familiar,
i dels animals pertorbats.

No saben què fer
sense tendes per comprar,
ara que les fantasies
han torbat el seu terrat.

No accepten la situació.
Intenten parlar i parlar
creuant el més enllà,
desapareixent sense pregar.

Encara no s'adonen
del moment encantat,
que la fi del món
és la fi de la humanitat.

DOOMSDAY

The passage of voices
was cut off yesterday,
when the sound trimmed
the melody of sincerity.

Now, without a single word,
the world runs in delirium
through the streets of lies –
no chance to miss the drivel.

Sign of our society,
they hide in empty houses,
from the family heat
and rattled animals.

They're at a total loss
without stores to buy from,
now that fantasies
have upset their flat roof.

They won't accept the situation.
They want to talk and talk,
crossing the beyond,
vanishing without prayers.

Still they don't notice
that charming moment,
the end of the world – doomsday
is the end of humanity.

RE ÉS DUR

Mentre la malenconia ancestral és natural,
la malenconia nacional ha de ser curta,
per evitar que es transformi en una cacera
on la distinció entre odi i pau és tan petita,
com entre un humà i una senyera!

Per això, re és dur
perquè re és clar.
Només arribar
és retrobar el camí
que mai s'acabà.
Així és la vida
pel qui la coneixia.

Perdona per suplicar-te la meva atenció.
No tinc raó perquè sóc pobre i de colors,
però sóc un cec que veu el final
d'una societat cremada i banal.

Ai quin mal fa el capvespre!
Ai quin mal fa el dia!
Són moments d'enfrontament
amb la nostra realitat complaent;
és que no hi ha re més?
L'alternativa no és fer calés,
ni gaudir impunement
de les fantasies de l'oest.

Per això, re és dur
perquè re és clar.
Només arribar
és retrobar el camí
que mai s'acabà.
Així és la vida
pel qui la coneixia.

NOTHING IS HARD

Whilst ancestral melancholy is nature's way
the national melancholy must be brief,
it must avoid becoming a hunt
where the distinction between hate and peace is just so,
like between a human and the Catalan flag!

So nothing is hard
because nothing's clear.
Just to get there
is to find the path
that never ended.
This way is life
for those who knew it.

Forgive me for begging you my attention.
I'm wrong because I'm poor and motley,
but I'm a blind man who sees the end
of a burned-out, bogus society.

Oh what hurt the sunset brings!
Oh what pain the day imparts!
Moments of confrontation
with our complacent reality;
is there nothing more?
The alternative's not to cash in,
nor enjoy with impunity
the fantasies of the west.

So nothing is hard
because nothing's clear.
Just to get there
is to find the path
that never ended.
This way is life
for those who knew it.

Deixa-m'ho dir bastard!
Tu no raones amb el cap,
només tens la destral
per tallar idees i realitats.

Let me say it bastard!
You don't reason with your mind,
you just take the axe
to ideas and realities.

L'ORELLA DE L'ETERNITAT

Quan miro els estels
són com rostolls cremant,
com els ulls de l'univers
sorollosament incessants.

L'orella de l'eternitat
recull amb pessigades,
els sorolls de les tiges
abans i després d'escapçades.

Cap soroll s'escapa,
tots emmudeixen en ella,
encara que patim
el mal d'orella.

Fort, fluix o llarg,
no l'importa del tot.
Ella no és justa,
només filtra i rebutja.

L'orella de l'eternitat
escolta els que neixen,
pateix els que moren,
tremola amb els que criden.

Ella ho escolta tot:
discrepàncies, bogeries,
divorcis estel·lars, bombes,
clàxons i realitats.

Ella ho equalitza tot:
el silenci del moment
quan el temps s'atura,
quan l'emprenyat remuga.

THE EAR OF ETERNITY

When I watch the stars,
they're like burning stubble,
eyes of the universe –
noisily relentless.

The ear of eternity
harvests with pinches,
the uproar of the stalks
before and after prunings.

No commotion escapes,
all struck dumb inside it,
even if we're still
suffering earache.

Strong, sick or long,
it couldn't care less.
It isn't fair –
just filters and refuses.

The ear of eternity
hears those being born,
suffers those dying,
trembles with those crying.

It hears it all:
discrepancies, delirium,
stellar divorces, bombs,
horns and realities.

It's the great leveller:
the momentous silence
when time stops,
when the vexed man mutters.

L'orella de l'eternitat
sempre estar esperant,
l'invisible, l'intolerant,
i qualsevol soroll de l'estrany.

The ear of eternity
is always there waiting,
the invisible, the intolerant,
any noise from the strange.

VIDA MODERNA

La vida moderna crea el llaunat
per consumir no per menjar.
La vida moderna plastifica la maldat
per descongestionar la veritat.

Plantem més tomàquets,
esbossem els jardíns amb peres.
Destrossem l'herba matussera,
produïm vegetals i omplim l'era.

Camina el camí asfaltat.
Camina l'autovia ajornada.
Córrer pels terrenys mítics.
Córrer pels camps Elisis.

Deixa les quatre rodes,
que tan sota control,
recorden aquell soroll,
que porta certa pudor.

Tants forats a muntanyes
per visitar paradisos,
que acaben sent grisos
pels visitants imprevistos.

Tant postular i anunciar.
Tant vendre i produir,
que estem grassos i macos
en una mena de cabassos.

Volem més, debatint menys.
Agraint el pa de cada dia.
Tot ho acceptem amb mal vent
i l'enveja ens consumeix l'alegria.

MODERN LIFE

Modern life's a world of tin
for consumption, not nutrition.
Modern life laminates spite
to decongest the truth.

Let's plant more tomatoes,
sketch out gardens with pears.
Let's scrape away the slapdash grass,
produce veg and swell the age.

Walk the asphalt walk.
Ride the suspended highway.
Run through fabulous lands.
Through the Elysian Fields.

Leave behind the four wheels,
that under such constraint,
recall that familiar noise,
which brings a certain stench.

So many mountain holes
for paradisiacal visits,
which end up feeling grey
for unexpected guests.

Such postulation and plug.
Such selling and product;
we're fat and presumptious
in a sort of wicker basket.

We want more, less discussion.
Giving thanks for our daily bread.
We take it all with bad grace,
as envy gobbles up our joy.

Aleshores quan veiem aquell
que no accepta perdre el cabell.
Veiem la nostra realitat
que ràpidament li volem imposar.

So when we see the one
who's resigned to going bald.
We see our own reality
that we quickly impose on him.

EL MITE DELS HUMANS

Assentim el seu deliri,
delectin els regals curts.
Assentim la seva causa,
robant la nostra capsa.

Desfem la unió celestial,
escatimant la cruel realitat.
Accelerem les inquietuds,
sense tastar el vermut.

Menystenim els temps,
sense recalcar la veritat.
Absorbint-lo lentament,
sense apallissar la matèria.

Que simple és l'ésser humà
que, quan mira a dalt al cel,
se sent tan petit i insignificant,
que guerres, diners, i deus ha anat creant?

THE MYTH OF HUMANS

We nod through their delirium
delighting in fleeting gifts.
We nod through their cause
as they steal our box.

We undo the heavenly union,
skimping on cruel reality.
We accelerate concerns,
without sampling vermouth.

We look down our noses at time,
without stressing the truth.
Absorbing it slowly,
without pasting the matter.

How simple is the human being
who, when gazing up at the sky,
feels so small, so insignificant,
who wars, money and gods has been creating?

CANNON STREET POEMS

(dedicats a Gaspar Jaén i Urban)

El Gaspar
El Gaspar Bristol va visitar,
i el meu cor i emocions van trontollar.
Em fa viure, em fa estavellar
crea un mite, i destrueix el capellà.
Ara la mà em fa patir,
i escric en Català
els poemes de Cannon Street
que l'anima fan ballar.

Dia de festa!
Dia de festa!
La gent es reuneix a la platja,
colors vius, menjar i respostes.
Dia de festa!
La gent se sincera, és honesta,
robes d'alegria, colors de rebel·lies.
Dia de festa!
La gent procrea a la platja,
poemes, nens, i alabastre.

El destí de la gent
El destí de la gent
és el pensament sense ment.
El destí de la gent
és el cabell sense permanent.
El destí de la gent
és el paper tenyit de seny.
El destí de la gent,
és malauradament innocent.

He penjat les banderes a assecar,
ja que totes suen molta sang.
He penjat les banderes al pal,
quin esgotament tan gran.

CANNON STREET POEMS

(dedicated to Gaspar Jaén i Urban)

Gaspar
Gaspar came to Bristol,
my heart and feelings skipped a beat.
He makes me live, he fractures me,
creates a myth and splinters the priest.
Now my hand is hurting,
and I write in Catalan
the Cannon Street poems
that make my soul dance.

Holiday!
Holiday!
People gathering on the beach,
motley colours, food and answers.
Holiday!
Kind, honest people,
party clothes, colours of rebellion.
Holiday!
People breeding on the beach,
poems, kids and alabaster.

The People's Destiny
The people's destiny
is thinking without thought.
The people's destiny
is hair without a perm.
The people's destiny
is a role tinged with *seny*.
The people's destiny
is lamentably innocent.

I've hung the flags out to dry,
they're all sweating so much blood.
I've hoisted the flags on the mast,
until I was dripping with exhaustion.

He penjat les banderes al final,
quina llibertat al món endavant.
He plegat les banderes al calaix,
que he tancat amb una clau
d'art marcial!

Les baranes del temps
ens apleguen a observar
els núvols de la vida;
ens apleguen a rumiar
els colors de la crida;
ens apleguen a somniar
els paradisos a mida.

No voltis mai pel món
No voltis mai pel món
sense saber què fer.
No voltis mai per casa
amb la llum escassa.
No voltis al terrat
amb l'incinerat.
No voltis al bosc
sense un pal ben gros.
No voltis pel llac
amb un lluc lligat.
No voltis, no voltis,
no voltis, no voltis.

I've hung out the flags to the end,
what freedom in a future world!
I've folded the flags in a drawer,
that I've locked with a key from
martial arts!

Time's handrails
assemble us to watch
the clouds of life;
assemble us to ponder
the colours of the call;
assemble us to dream
made-to-measure paradises.

No more turning round the world
No more turning round the world
without a savoir faire.
No more turns in the house
with stingy light.
No turns to the roof
with the burnt trash.
No turns to the wood
without a big stick.
No turns around the lake
with a tethered shoot.
No turns, no turns,
no turns, no turns.

GERMÀ ECONÒMIC I APÀTRIDA

El dolor de l'emoció
de veure ta mare
lluitant pel mentider;
que necessita demanar
per aconseguir el que ella
ha suat honradament
per obtenir una vida
fàcil i coherent.

Quan el llaminer només té la moral
d'aprofitar-se de la debilitat
de la teva mare...

És ell que ens diu vividors
per tapar la seva rancor
per haver entrat voluntàriament
en una presó sense sortida.
Basat en la mentida
d'ignorant i arrogant...
Maleït siguis
germà empresonat
amb por i amargat!

Quan el llaminer només té la moral
d'aprofitar-se de la debilitat
de la teva mare...
Dels angles terrestres debilitats
estimant el país que mes li pagui
I la ma que més ompli...

STATELESS ECONOMIC BROTHER

The emotional pain
of seeing your mother
striving for the trickster
who just has to ask
for what she's earned
in honourable sweat;
to have an easy,
constant life.

When the sweet tooth's only moral
is to profit from your mother's
weakness...

He calls us scroungers
to cover up his rancour
for having entered voluntarily
a no-exit prison
based on the lie
of the ignorant and arrogant...
Be furious, then,
brother imprisoned
with fear and embittered!

When the sweet tooth's only moral
is to profit from your
mother's weakness...
From depleted earthly corners
loving whatever country pays her
and the hand that most feeds...

EL VOLCÀ SILENCIÓS

El volcà silenciós
al mig del teu pit,
retruny amb un crit
que omple la meva buidor.

Els meus ulls vermells
ja no ploren de ràbia,
ara nets com rius gelats,
volen pels espais consagrats.

El teu cabell negre
encreua colors perfectes,
impossibles de copiar
ni tan sols pels mestres.

Mai m'ha deixat
el teu amor, la teva màgia,
de rentar la meva buidor
de ràbia i mala maror.

Dedicat a la Ryoko

THE QUIET VOLCANO

The quiet volcano
inside your breast
echoes with a cry
that fills my emptiness.

My red eyes
no longer cry with rage,
clear now as frozen rivers,
they steal through consecrated spaces.

Your black hair cuts
across perfect colours,
impossible to copy
even by the masters.

Your love and your magic
have never stopped
cleansing my emptiness
from the anger and turmoil.

Dedicated to Ryoko

EL GEMEGADOR

Una vida isolada en el destí,
adulterada per les raons ofuscades,
rescabala la meva mort enorgullida,
d'un humà sense pau ni onades.

Ultra d'abnegar la meva existència,
per remuntar el mal col·lateral,
planyo la buidor terrenal i pura,
per poder cosir la infinita fractura.

La pruïja d'acabar amb el dolor incessant,
que la vehemència humana desplega,
és com un escreix per mi,
el que gemega.

THE WHINGER

An isolated life in destiny,
doctored by muddled reasoning,
compensation for my proud death,
a human without peace or waves.

Beyond renouncing my existence,
to overcome collateral evil,
I lament all pure earthly emptiness,
for a chance to sew the infinite fracture.

The resolve to end incessant pain,
unleased by human frenzy,
is like ‘bulking up’ for me –
the constant whinger.

SER ADULT?

Només ell coneix el racó
de les desfetes aparcades,
per la immensitat de la bandera.

Ploro molt... On era?
Parlant de bajanades,
ple de damnades!

Volent ser alternatiu, diferent
i amagant la saviesa del cor.
Cec darrere dels meus traumes,
i immune a la saviesa infantil.

Jo sóc una atracció enlluernada,
per les pastanagues podrides amb olor de ginesta.
Perdona'm mare, perdonem Catalunya...

BEING AN ADULT?

Only he knows the corner
for disasters put on hold,
by the immensity of the flag.

I'm crying profusely... Where was I?
Talking nonsense,
full of damned souls!

Wanting to be alternative - different,
hiding the knowledge of the heart.
Blind behind my traumas,
immune to childish wisdom.

I'm a bewildered attraction -
for rotten carrots with the stench of broom.
Forgive me, mother, we forgive Catalonia...

LA CONTRADICCIÓ DELS ADINERATS

Només la distància fa que la raó
desaparegui sense que faci mal a
ningú!

Així, la pau dels adinerats, és el
desig de ser-ho sense que hi hagi
pobres!

THE CONTRADICTION OF THE LOADED

Only distance can make reason
disappear without doing wrong
to anybody!

Thus, peace for the loaded is the
desire to be so without the existence
of the poor!

Acknowledgements

I would like to thank especially the Palau-solità i Plegamans Council for paying for the translation of the book. In particular, I would like to deeply thank Jordi Pujol i Lozano and Jaume Oliveres i Malla, the two councillors who supported the project from its proposal to completion.

My thanks to Marc Monpart i Mas for editing the poems and providing invaluable feedback.

I will never be able to repay Clive Boutle or my wife for the encouragement they gave me to come out of the underground, and share with the rest of the human race the inner worlds that, very painfully, I experience every second of my life.

I shed tears of happiness when showing appreciation to my family, community, the Catalan countries and my friends, who have all helped make me and given me the opportunity to express myself in such a wonderful language as Catalan.

Finally, I would like to express my infinite gratitude to James Thomas for all his work on the translations.

Xavier Panadès i Blas